Photography / *Photographies* : Gregory WAIT

With the participation of / *Avec la participation de* : Nigel Cy STEWART

D-DAY
GENTLEMEN
SOLDIERS

D1294910

OREP
EDITIONS

Acknowledgements /
Remerciements

Special thanks to / *Un remerciement en particulier à :*
Charles de Vallavieille, André Heintz, Graham Hollands, Paul Woodadge,
Sean Claxton, Geert Van Den Bogaert, Françoise Wait, Nathalie Worthington,
Frédérique Guérin, Anne Erdman Rudder, Léon Gauthier, Cy and Alison Percival,
Christine Stewart, Ian and Jacqueline Stewart, Alex Wilson.

COURAGE AND DUTY / *COURAGE ET DEVOIR*

Gregory WAIT

Over the last few years I have had the honour of meeting many veterans, who at a very young age, and with the knowledge that their lives might well be sacrificed, joined and volunteered to help free Europe from the tyranny of fascism.

I have never met men quite so humble as these soldiers, and when I admit to them that I am sure that I would never have had the courage to do what they did, they simply reply: "Yes you would have, it had to be done." They refute all notions of being heroes; indeed, the term seems to embarrass them. They claim to have just done their duty.

In 1944 they were very young and from all different walks of life. They were terrified when they were flown, dropped or offloaded into the bloody fields of battle, but they displayed outstanding courage. As Nelson Mandela said "Courage is not the absence of fear, but the triumph over it."

Let us stand up and admire these gentlemen.

Au cours de ces dernières années, j'ai eu l'honneur de rencontrer de nombreux anciens combattants, qui, à un très jeune âge, se sont joints et se sont portés volontaires, sachant que leur vie pourrait bien être sacrifiée, pour aider à la libération de l'Europe de la tyrannie du fascisme.

Je n'ai jamais rencontré d'hommes aussi humbles que ces soldats, et quand je leur ai avoué que je n'aurais jamais eu le courage de faire ce qu'ils ont fait, ils m'ont simplement répondu : « Si, vous l'auriez fait, car cela devait être fait. » Ils refusent le statut de héros ; en effet, le terme semble les embarrasser, ils prétendent simplement avoir fait leur devoir.

En 1944, ils étaient très jeunes et venaient d'horizons différents. Ils étaient terrifiés lorsqu'ils furent envoyés, largués ou débarqués sur les champs de batailles sanglants, mais ont affiché un courage exceptionnel. Comme l'a dit Nelson Mandela : « Le courage n'est pas l'absence de peur, mais la capacité de la vaincre ».

Levons-nous et admirons ces gentlemen.

FACES OF WAR / *VISAGES DE GUERRE*

Nigel STEWART

This book of photography by Gregory Wait is the culmination of years of work, travel, meetings and keen observation. I am delighted to be associated with it by way of this introduction and the word associations we have "laced" together throughout the following pages.

I often wondered if a book would one day appear in which I could apply some of the words and express the feelings I share during tours or lectures. That it came to be through a book of photography, not a "battlefield" tour or history book, seems just perfect to me, with my own background, prior to my work as a tour guide, in fine arts. Though I have learnt to "read" the ground of battle as a tour guide in order to relate that in words to a client, I first and foremost feel the battleground in a visual and tactile way. Gregory's eye is doing the same thing through the photographs in this book.

Contrasting colour with black and white creates emotions. As Gregory says: *"Life is colour, so when you look at a colour shot it has a direct route eye to brain. For me, black and white can't do that, it has to go eye through to your guts then to your brain. It's a different experience, emotionally."*

Ce merveilleux livre de photographies signées Gregory Wait est l'aboutissement de nombreuses années de travail, voyages, rencontres et observations attentives. Je suis ravi d'y être associé par le biais de cette introduction et par les mots que nous avons ensemble « tissés » tout au long des pages qui suivent.

Je me suis souvent demandé si paraîtrait un jour un livre dans lequel je pourrais inscrire certaines paroles ou sentiments que je partage régulièrement au cours de mes visites guidées et lors de mes conférences. Que cela arrive par un livre de photographies et non par un ouvrage d'histoire ou de « champs de bataille » me semble parfait au vu de mon propre bagage d'artiste-peintre. Ainsi, j'ai appris, en tant que guide, à « raconter » les plages du débarquement à mes clients. Ces lieux de bataille, je les ressens à la fois visuellement et de manière tactile. Au travers des photos de ce livre, l'œil de Gregory fait le même travail.

Le contraste de la couleur et du noir et blanc est créateur d'émotions. Comme le dit Gregory : « La vie est en couleur ; lorsque vous regardez une photo couleur, le trajet œil-cerveau est direct. Pour moi, le noir et blanc ne peut pas faire cela, il doit traverser l'œil, passer par les tripes avant d'atteindre le cerveau. Émotionnellement, le procédé est différent. »

Possibly my own first tangible "experience" of D-Day history was not something I read, but, long before ever coming to Normandy, whilst still in art school, I learned about the surviving photographs that Robert Capa captured at "Omaha" beach on D-Day. Images like this still speak more to me than any explanations or relating of the veterans recollections of battle I hear. They capture a moment in time, frozen and silent, carrying nothing other than the very heavy weight of time, bursting with emotions.

Perhaps my earliest "memory" of interest in World War II in general was, when still a young boy, viewing the documentary *The World at War*. Again it was about seeing rather than hearing. Living in Normandy in the 1990's, my first professional work with D-Day was in exhibition design and assistance at the time of the 50th anniversary in 1994. I had no notions about "working" with D-Day, but did start visiting the sites of battle and the war cemeteries. The subject does draw you in. Starting professional guiding in 1999, the research, meetings, visits, ceremonies, friendships, have now, in 2014, locked me permanently to the subject.

Although D-Day ceremonies will no doubt continue in future decades, the 70th anniversary will probably be the last great ceremonial "media" event to remember D-Day with significant numbers of veterans present. The youngest veterans will be in their late eighties, mostly in their 90's, so travel will become an ordeal for them.

Il me semble que ma toute première « expérience » de l'histoire du Jour J ne soit pas livresque. Bien avant de venir en Normandie, alors que j'étais encore étudiant aux Beaux-Arts, j'ai appris l'existence des photographies « rescapées » que Robert Capa prit le 6 juin 1944 à Omaha Beach. De telles images sont toujours plus significatives que n'importe quelle explication ou autre récit de bataille. Elles capturent un instant, gelé et silencieux, n'apportant rien de plus que l'immense poids du temps, éclatant d'émotions.

Je pense que mon premier souvenir d'intérêt pour la seconde guerre mondiale, alors que j'étais encore un enfant, est né après avoir vu le documentaire The World at War. *À peine installé en Normandie en 1990, mon premier travail en lien avec le Jour J fut une exposition de dessins et une assistance apportée au cours du 50e anniversaire en 1994. Je n'avais pas de connaissances particulières concernant le travail autour du Jour J, mais je commençai à visiter les sites de combats et les cimetières militaires. Le sujet m'a complètement possédé et j'ai débuté le métier de guide professionnel en 1999. En 2013, mes recherches, les rencontres, les visites, les cérémonies et les amitiés que j'ai tissées m'ont totalement soudé au sujet.*

Bien que les cérémonies du Débarquement continueront sans aucun doute dans les prochaines décennies, le 70e anniversaire sera probablement la dernière grande commémoration médiatisée avec la présence d'un nombre significatif de vétérans. Les plus jeunes d'entre eux ont à présent plus de 80 ans et la plupart, plutôt 90 ans. Le simple fait de se déplacer en Normandie leur est devenu une expérience éprouvante.

When veterans are no longer present, their absence from ceremonies or informal meetings will make for very strange days for those of us who knew them.

This book is thus part of passing the baton to the first generation that will not hear "I was there". Look at this field, this beach, look at his eyes. He was there. He saw no picture postcard sun drenched peaceful meadow or sand-bar. He saw a wire perimeter and the word "Minen" but had to go forward. Because the Allies were, once ashore, not going back. There was no retreat. The success of D-Day, of getting a coastal toe-hold on the western second front, was not inevitable, as with hindsight it sometimes appears to be. Its success was down to many people of many nations on many levels, in a combined surge of effort as the world held its breath. The faces in this book were those on the front line.

War tourism

Each year, thousands of people make their way through the village of Sainte-Marie-du-Mont, heading roughly three miles further down the road to 'Utah beach', one of the five assault landing beaches of D-Day, June 6th 1944. On the road to the beach, a statue of Major Richard Winters, in combat poise, no doubt brings many a vehicle to an abrupt inquisitive stop. This statue, sculpted by Stephen Spears, was unveiled on June 6th 2012 not far from Brécourt Manor and the fields there where Major Richard Winters, then a Lieutenant, with a small group

Les années passant, il est inéluctable que leur présence nous échappera. Pour ceux qui ont tissé des liens avec eux, leur absence aux cérémonies ou aux rencontres informelles sera bien étrange.

Ce livre participe donc à la passation du flambeau à la génération qui, pour la première fois, n'entendra pas « J'y étais ». Regardez ce champ, cette plage, regardez ses yeux. Lui y était. Il n'a pas vu cette carte postale de Bocage paisible, noyé de soleil, ou cette plage ponctuée de tranquilles bancs de sable. Il a vu les barbelés et le mot « Minen », mais a dû aller de l'avant. Parce que les alliés, une fois débarqués, ne faisaient pas demi-tour. Il n'y avait pas de retraite possible. Lorsqu'ils posèrent le pied sur la côte ouest – qui était alors le deuxième front – la réussite du Jour J n'était pas chose évidente, comme il peut parfois rétrospectivement le paraître. Cette réussite fut celle d'innombrables personnes de nationalités et de fonctions différentes, qui combinèrent leurs efforts dans une seule et même vague, alors que le monde retenait son souffle. Les visages présents dans ce livre sont ceux de ces hommes qui participèrent au front.

Le tourisme de guerre

Chaque année des milliers de visiteurs traversent le village de Sainte-Marie-du-Mont, afin de rejoindre la plage d'Utah Beach, cinq kilomètres plus bas, l'une des cinq plages de débarquement le 6 juin 1944. Sur la route de la plage, se trouve une statue du major Richard Winters en position de combat, qui pousse bien des véhicules de passage à un brusque arrêt.

of American paratroopers, assaulted and destroyed a dug-in German artillery position on the high ground directly behind the American amphibious landing at "Utah" beach. This particular action, immortalized in the TV mini-series "Band of Brothers", was one of countless actions that day, across the D-Day coast and beyond.

The statue, isolated on the hill with the sea as a backdrop, is a dramatic draw on the eye. In comparison, relatively few people stop in the more cluttered square of Sainte-Marie du Mont itself – the road sign towards "Utah" is the draw. The church tower in the village was used as an observation position by the Germans for artillery positions around the town like at Brécourt. Just across from the church, a World War I memorial, unveiled following public donations in July 1920, catches many a fleeting gaze but probably little more than that.
Take a closer look…

It is of course one of thousands of "monuments" in France and across the world that were commissioned and raised after "The Great War" to list in remembrance those that did not return to their homes in the villages towns and cities of their countries. 10 million dead. For the French, they are "Monuments" for English speaking nations, they are 'Memorials'. The French lost more than 1 million lives, with approximately double that number maimed. On the stone column in Sainte-Marie-du-Mont, from WWI, are listed 68 men from Sainte-Marie-du-Mont who died. 68 young men of a village population of

Cette statue, œuvre de Stephen Spears, fut inaugurée le 6 juin 2012 non loin du manoir de Brécourt et des champs où Richard Winters, alors lieutenant, donna l'assaut avec un petit groupe de parachutistes américains et détruisit une position d'artillerie allemande, enfouie sur les hauteurs, directement derrière les lignes amphibies américaines d'Utah Beach. Cette action spécifique, immortalisée dans la série télévisée « Frères d'armes », fut une des innombrables actions qui eurent lieu en ce Jour J et ceux qui suivirent tout au long de l'année 1944, sur cette côte.

Cette statue, isolée sur la colline, avec la mer en toile de fond, attire l'œil de façon dramatique. En comparaison, peu de gens s'arrêtent sur la place encombrée de Sainte-Marie-du-Mont : le panneau routier indiquant Utah Beach est l'attraction. Le clocher de l'église du village était utilisé par les Allemands comme observatoire, pour les positions d'artillerie entourant la ville, comme à Brécourt. En face de l'église, un monument aux morts de la première guerre mondiale, inauguré suite à des donations publiques en juillet 1920, attire quelques coups d'œil fugaces, mais il suscite probablement un peu plus que cela. Jetez un œil de plus près…

Bien sûr, il est l'un des milliers de monuments en France et à travers le monde qui furent commandés et érigés après la Grande Guerre afin de lister les noms, en souvenir de tous ceux qui ne sont jamais rentrés chez eux, dans les villes et les villages de leurs pays. 10 millions de morts. Pour les Français ce sont des « monuments », pour les anglophones, on parle de « memorials ». Les pertes françaises se chiffrent à plus

1,148 in 1918. A huge proportional loss of the village, probably all or nearly all the young adult men population wiped out. Across the nation, across so many other countries, this intolerable loss was still a festering wound that had not healed come the German attack on France in 1940, 9 months after World War II had ignited in Europe.

When the German army arrived in Sainte-Marie-du-Mont in June 1940, six weeks of battle in France was approaching its end. A battle that in such a short period, would account for approximately half a million casualties – combatants and civilians, killed and wounded. The Germans had successfully knocked France "geographically" out of the war with the British and some French, Dutch and Belgian troops evacuating back across the channel. But the bloodletting of those infamous weeks of 1940 is often overlooked, overshadowed by successful German strategy, blitzkrieg, Maginot mentality, Channel mentality, whichever we choose to think of it if not all at once. If you attack, you have something to gain, if you are in a stand-off waiting for the attack, do you have something to lose? The June 22nd 1940 surrender of the French in Compiègne, in the very same train wagon of the

Sainte-Marie-du-Mont – First world war monument / *Monument de la première guerre*

d'un million de vies humaines, et environ deux fois plus de personnes mutilées. Sur la colonne de pierre de ce village, érigée en mémoire de la première guerre mondiale, on répertorie les noms de 68 hommes de Sainte-Marie-du-Mont décédés. 68 jeunes hommes pour une population de 1 148 habitants en 1918 ; une perte proportionnellement très importante pour le village, probablement tous, ou presque tous, les jeunes hommes adultes anéantis. Dans toute la nation, et dans de nombreux autres pays, cette perte intolérable était encore une plaie béante qui n'avait pas encore cicatrisé lorsque les Allemands attaquèrent la France en 1940, neuf mois après l'étincelle qui mit le feu aux poudres de la seconde guerre mondiale en Europe.

Lorsque l'armée allemande entra dans Sainte-Marie-du-Mont en juin 1940, les six semaines de combats en France touchaient à leur fin. Cette bataille avait fait, dans une si courte période, approximativement un demi million de victimes : combattants et civils, tués et blessés. Les Allemands avaient réussi à éliminer « géographiquement » la France de la guerre avec les Britanniques, et quelques troupes françaises, hollandaises et belges se retiraient à l'arrière en traversant la Manche. Mais l'horreur de cette période noire de 1940 est trop souvent éclipsée

reverse surrender by the Germans in 1918, is yet another reminder of the connectivity between WW I and II.

Once in the village that same week of June, it would not have taken long for the Germans there to notice something about the WWI Memorial. A French "Poilu" soldier was literally standing on an eagle, the German eagle. The stock of the rifle on its neck. Taken from its stone column, the eagle smashed away to remove the insult, the statue was stored away across the street in the town hall.

June 6th 1944, D-Day. Sainte-Marie-du-Mont found itself, behind Utah Beach, in the cauldron of the area of the American Airborne operations in those first dark hours of paratrooper and glider-borne assault. As the fighting slowly edged away in the days that followed, leaving a liberation in tense and fragile suspense – the fighting remained a constant noise and tremor not so far away – a photograph was taken in the square of some American paratroopers in front of the stone column. This photograph became well known as the book cover of *Band of Brothers* by Stephen Ambrose. The statue is absent.

Amfreville – First world war monument / *Monument de la première guerre*

par les stratégies militaires : le succès de la guerre-éclair, l'esprit ligne Maginot, côté français, la mentalité Manche, côté britannique… La capitulation des Français, signée le 22 juin 1940 à Compiègne, dans le même wagon du train qui fut utilisé lors de la signature de la défaite allemande en 1918, rappelle à nouveau le lien entre la première et la seconde guerre mondiale.

Pendant cette semaine de juin 1940, il ne fallut pas longtemps aux Allemands, une fois installés dans le village, pour remarquer quelque chose à propos de ce monument de la première guerre mondiale. Un « Poilu » français est littéralement représenté debout sur un aigle – sur l'aigle allemand ! – et la crosse de son fusil est appuyée sur son cou. La statue fut descendue de son piédestal et l'aigle détruit afin d'effacer l'insulte, puis elle fut remisée dans la mairie, de l'autre côté de la rue.

6 juin 1944, Jour J. Sainte-Marie-du-Mont est située derrière Utah Beach, dans le chaudron des opérations aériennes américaines de ces premières heures sombres de l'assaut des troupes aéroportées et des planeurs. Alors que, dans les jours

The Americans put the statue back on the column for the villagers, in 1945, as is now marked on a plaque on the column today. The cracks of repair are still visible and with careful inspection there remains visible an eagles wing to the rear and a claw between the soldiers legs at the base. A rare surviving example of such a statue, trodden down eagle still intact, can be seen in the nearby village of Amfreville.

Such is the connectivity that is vital to be reminded of when we travel on a journey of "war tourism" remembrance along the coast of Normandy, scene of the largest combined Airborne-Amphibious attack in history on June 6th 1944.

★ ★ ★

When I first started giving tours, I was always at my most nervous in the company of veterans. Who am I to be talking to these men of these events! But with hindsight I know that the veterans are in many ways the most "comfortable" clients to be with. By this I mean there is little explanation needed as to why D-Day happened, how it had come about as Europe was approaching its fifth year of war, or indeed, no need to respond to the much repeated question from village to village "Was there any fighting here, it all looks so old ?" It is a troublesome question to answer on many levels, largely due to visual "Hollywoodized" notions of destruction and repair as we approach 70 years from that war. So strange that people

suivants, les combats s'éloignent laissant une libération sur les charbons ardents – en effet, les combats persistent et laissent entendre des tremblements et des grondements constants à proximité – quelques soldats américains se photographient sur la place, devant le socle en pierre. Cette photo, utilisée pour la couverture du livre Frères d'armes *de Stephen Ambrose, devint fameuse. La statue y est absente.*

En 1945, les Américains remirent la statue en place pour les villageois et l'épisode est désormais inscrit sur une plaque fixée sur le socle. Les traces de réparation sont encore visibles et, par une inspection minutieuse, on peut encore distinguer une aile de l'aigle à l'arrière et une serre entre les pieds du soldat, à la base. Un exemple rare d'une statue similaire d'un homme foulant un aigle conservée intacte peut être vue dans le village voisin d'Amfreville. Tel est le lien qu'il est vital de rappeler, lorsque l'on fait un voyage commémoratif de « tourisme de guerre » le long des côtes normandes, scène de la plus grande attaque combinée, aéroportée et amphibie de l'histoire le 6 juin 1944.

★ ★ ★

Lorsque je débutai les visites guidées, je ressentais toujours une grande nervosité au contact des vétérans. Qui étais-je donc pour parler à ces hommes de ces évènements ? Mais avec le recul, je m'aperçois que les vétérans sont les clients avec lesquels je suis le plus à l'aise. Je veux dire par là qu'avec eux, peu d'explications sont nécessaires sur le pourquoi du Jour J, sur le comment c'est arrivé alors que la guerre en Europe durait depuis presque cinq ans, et inutile de répondre à la plus fréquente des

sometimes seem to anticipate finding a damaged area with no-one living here! No need with a veteran, for he was here. A long time ago, but for those men still with us, a memory triggered like it was yesterday. They remember, and no doubt certain noises and smells remind them of the experience of combat. As we drive from village to village in a beautifully healed Normandy countryside, the veteran is no doubt remembering scenes of a very different nature in the inhospitable environment he survived all those years ago. For many it is probably a closure to return. Others will never have wanted to come back.

Now I understand a little better the phrase "He never talked about the war". I know as I drive around Normandy that those scars of shrapnel are still there in so many places, not just a few famous sites along a cherished coast of D-Day. The ground still holds many who were never recovered, the 'missing'. But the scars remain in the trauma of memory of those that survived, those who saw the horror of death and a kill or be killed situation. The trauma of memory of a good friend lost whose name remains, engraved in stone at age 19. The trauma of memory that is often brushed away with a knowing glance, wink, forced half-smile, then a moment later a teardrop shed.

John Keegan in *The Face of Battle* wrote that *"For the Battle of Normandy, 10 to 20 % of casualties were psychiatric during the opening phases of D-Day and after, and over 20 % in July and August."* Following on from this, an American report 'Combat exhaustion' states *"There is no such thing as 'getting used to combat' – the general*

questions qui revient inlassablement à chaque village traversé : « Y a-t-il eu des combats ici ? Tout semble si bien conservé. » C'est une question dérangeante à bien des niveaux, probablement issue des visions « hollywoodiennes » de notions de destruction et de reconstruction alors que nous approchons des soixante-dix ans après la guerre. Inutile d'expliquer tout cela à un vétéran car, lui, il y était. Cela fait longtemps, mais pour ces hommes encore avec nous, le déclic de la mémoire fait parfois que c'était hier. Ils se souviennent, à n'en pas douter… Certains bruits et certaines odeurs leur rappellent l'expérience du combat. Alors que nous roulons de village en village, à travers une magnifique campagne normande à présent guérie, le vétéran se souvient de scènes d'une nature très différente dans un environnement inhospitalier dans lequel il a survécu il y a si longtemps. Pour beaucoup, c'est probablement une façon de refermer cet épisode de leur vie. D'autres n'ont jamais voulu revenir.

À présent, je comprends un peu mieux la phrase « Il ne parle jamais de la guerre ». Je sais, pour avoir parcouru la Normandie de long en large, que les cicatrices des obus sont toujours présentes dans de nombreux endroits, et pas seulement sur les quelques sites célèbres de cette côte tant chérie du Jour J. La terre retient encore de nombreux corps qui ne furent jamais retrouvés, les « disparus ». Mais les cicatrices restent aussi dans la mémoire traumatisée de ceux qui ont survécu, de ceux qui ont vu l'horreur de la mort, qui ont vécu la situation de tuer ou la menace d'être tué ; le traumatisme du souvenir d'un ami cher, perdu à l'âge de 19 ans, dont le nom est resté gravé dans la pierre. Le traumatisme de la mémoire est si souvent repoussé avec un regard entendu, un clin d'œil, un demi-sourire forcé, puis un instant plus tard, une larme versée.

consensus is that a man reaches his peak effectiveness in the first 90 days of combat, not after." Other studies also found that after 30 days of fighting in Normandy, 90 % of soldiers had manifested severe psychiatric reactions. (Oxford Companion to Military History).

I must have now shaken hands with a few hundred veterans, but have yet to meet one that openly glorified war. We must celebrate, through remembrance, events like D-Day that are so vital as tipping points in history that have shaped the world we live in. And celebrate is I believe the right word. Without necessarily meaning festive. Liberation is a wonderful word.

The surge of tourism visitation to Normandy the last 30 years has no doubt elevated the tendency of many visitors to focus on their own "national" sectors. And, curiously, use statistics of loss (visible in the museums and often differing !) generally from D-Day, not before or after, to make in my view quite useless comparisons. My own perception of D-Day has become a very different one. I just cannot see a 'national' sector and make no apologies for this. There wasn't one. Men of all nations were at all sectors, ground sea and air. That cannot be contested.

The Allies were not coming to Normandy without the American manpower that would build up in the weeks that followed D-Day. This often shadows the fact that the bulk of manpower <u>on</u> D-Day was British, not American. This effort was impossible for the British to sustain afterwards, but that fact should be known, recognized, and is widely overlooked

John Keegan dans Anatomie de la bataille *écrit : « Pour la bataille de Normandie, 10 à 20 % des victimes furent d'ordre psychiatrique durant les premières phases du Jour J, et supérieure à 20 % en juillet et en août. » Dans le même sens, un rapport américain intitulé* Épuisement au combat *déclare : « S'habituer au combat n'existe pas ; nous sommes arrivés au consensus général suivant : un homme atteint son maximum d'efficacité au combat dans les quatre-vingt-dix premiers jours, pas après. » D'autres études ont également constaté qu'après trente jours de combats en Normandie, 90 % des soldats présentaient des réactions psychiatriques graves. (Oxford Companion to Military History).*

Aujourd'hui, je dois bien avoir serré la main à quelques centaines de vétérans, mais je n'en ai encore rencontré aucun qui glorifie ouvertement la guerre. Par la mémoire, nous nous devons de célébrer des évènements tels que le Jour J qui sont des points cruciaux de basculement de notre histoire et qui ont façonné le monde dans lequel nous vivons. Célébrer est, je crois, le mot juste ; sans vouloir nécessairement faire de fête. Libération est un mot merveilleux.

L'engouement pour les visites touristiques en Normandie ces trente dernières années a indéniablement augmenté la tendance de nombreux visiteurs étrangers à se concentrer sur leurs propres secteurs « nationaux ». Et, curieusement, utiliser des statistiques de pertes (visibles dans les musées et variables de l'un à l'autre) au Jour J, sans considérer les jours antérieurs ou postérieurs, sont à mon sens des comparaisons inutiles. Ma propre perception du débarquement s'est construite bien différemment. Je trouve impossible de concevoir un « secteur »

or ignored. In my mind's eye I see the American in the Bocage around Saint-Lô, the Canadian and British soldiers in the bloody wheat fields of Caen, or indeed the Polish, fighting for a freedom that they would not see return to their own country for several more decades, all there for the same thing.

The seemingly increasing habit to make these 'comparisons' through national perceptions is wrong. No-one came out of Normandy lightly, least of all the civilians themselves caught in the cauldron of a violent storm of liberation. It should also not be concluded as is often the case that the landings took place to liberate the French. Many of the people of Normandy do more, often out of the shadow of the tourist sites and administrative red-tape, to uphold the memory of 1944 than most visitors will ever perceive. But it was not a landing to liberate the French. It was a landing to move through France, thereby liberating it and its people, and move to Germany to end the war unconditionally. The French should not be expected to bend over backwards in gratitude anymore than they wish, which is already a lot. Sometimes I find people visit Normandy with a conquering attitude more than the liberating one. This was a liberation for all involved, fighting or not, to finish the war, then win the peace, remembering Montgomery's words in May 1945.

In the fading light of their years, remember - they in their vast majority do not generally return to remember some glory of arms, but to see the land they were young in and friends that died young, and for the most part remain buried here, in Normandy.

par nationalité, et ne prendrai pas la défense de cette idée. Il n'y en avait pas. Des hommes de toutes les nations étaient sur tous les secteurs : terre, mer et air. C'est incontestable. Le débarquement en Normandie ne se fit pas sans l'effectif américain qui se renforça progressivement dans les semaines qui suivirent le Jour J. Mais on oublie très souvent que l'effectif dominant, le jour du débarquement, était britannique, et non américain. Les Britanniques ne pouvaient seuls soutenir l'effort par la suite, mais cette réalité doit être connue et reconnue et se trouve largement négligée ou ignorée. Pour moi, les Américains dans le Bocage autour de Saint-Lô, les soldats canadiens et britanniques dans les champs de blés ensanglantés autour de Caen, ou les Polonais, qui se sont battus pour une liberté qu'ils ne retrouveront pas avant plusieurs dizaines d'années dans leur propre pays, tous étaient là pour la même raison.

Cette habitude apparemment de plus en plus fréquente de faire des « comparaisons » nationalistes est injuste. Personne ne sortit de Normandie indemne, encore moins les civils pris dans la violente tempête du chaudron de la libération. Il est aussi nécessaire de souligner que l'objectif du débarquement n'était pas, comme on l'entend souvent, de seulement libérer la France. Ce débarquement devait servir à traverser la France, pour la libérer par la même occasion, mais aussi dans le but de rejoindre l'Allemagne afin d'en finir, sans condition, avec la guerre. Un grand nombre de Normands, hors des projecteurs des sites touristiques et dans l'ombre des tracasseries administratives, s'attachent à maintenir le souvenir de 1944 d'une manière plus importante que la plupart des visiteurs ne pourra jamais le percevoir. Ce fut une libération pour tous ceux

On June 6th 2013 I gave a lecture presentation to a group about World War II and the significance of D-Day. Amongst the group was one WWII veteran, a B-17 bombardier of the US 8th Air Force. During the lecture I evoked the dropping by air from the UK into occupied Europe of weapons and explosives for the maquis. This triggered a memory in the veteran I had not yet spoken with, only acknowledged as the lecture started. Job done, the group dispersed, the gentleman soldier came up to me and described his memory of the plane flying so low over southern France that even in the murky early morning light he could see a young boy on a bicycle, waving. So low indeed was the plane that he could see, and still can see, the boys face, smiling.

qui furent impliqués, combattants ou non, dans l'objectif d'en « finir avec la guerre et de gagner la paix » rappel des mots de Montgomery en mai 1945.

Dans la lumière pâlissante de leur âge, souvenez-vous : en grande majorité, ils ne reviennent pas pour le rappel d'un glorieux fait d'armes, mais pour voir la terre de leur jeunesse et de leurs jeunes amis qui y ont péri, et qui, pour la plupart, reposent ici, en Normandie.

Le 6 juin 2013, je donnai une conférence sur la seconde guerre mondiale et la signification du Jour J. Parmi l'assistance, il y avait un vétéran, un bombardier B-17 de la 8e Air Force des États-Unis. Pendant l'exposé, j'évoquai le parachutage d'armes et d'explosifs par les Britanniques pour le maquis, dans la France occupée. Mes paroles ravivèrent la mémoire du vétéran auquel je n'avais pas encore parlé, mais que j'avais juste remarqué avant de commencer. Mon travail achevé et le groupe dispersé, le « gentleman soldier » s'approcha de moi et me fit le récit du souvenir qu'il avait de son avion volant si bas, que même dans la lumière sombre du jour naissant, il avait pu voir un jeune garçon à bicyclette lui faire signe de la main. Si bas était l'avion qu'il pouvait voir – et il le voyait encore – le visage souriant du jeune garçon.

D-DAY

Gentlemen
SOLDIERS

"I looked out from the plane at the thousands of ships battling through the rough seas. We could see the white V of their slipstreams. I was very frightened, for I knew something of terrible magnitude was going to happen. A sight I shall never forget."

« J'ai regardé de l'avion les milliers de navires fonçant sur la mer agitée, nous pouvions voir le V blanc de leur sillage. J'avais très peur, car je savais que quelque chose de terriblement grandiose allait se passer. Un spectacle que je n'oublierai jamais. »

"We were all so seasick. I didn't care whether I got shot or not. I just wanted to get off that landing craft and get my feet on the ground."

« Nous avions tous le mal de mer. Je me fichais pas mal de me faire tirer dessus ou pas. Je voulais juste quitter cette péniche et poser mes pieds sur le sol. »

D-Day was postponed for 24 hours because of very rough sea conditions.
On the morning of the 6th of June the sea was still very rough for landing craft.

*Le Jour J fut reporté de 24 heures pour cause de vents violents. Le matin du 6 juin,
la mer était toujours déchaînée et difficile pour les péniches d'assaut.*

Utah Beach

"You've got to get off the beach, keep moving!"

« Il faut que vous quittiez la plage, ne vous arrêtez pas ! »

"Here's one for the road, goodbye John."

A veteran pays his last respects to a comrade after his ashes were dispersed off Gold Beach.

« Voici une dernière pour la route, au revoir John. »

Un ancien combattant présente ses derniers hommages à un camarade suite à la dispersion de ses cendres au large de Gold Beach.

Longues-sur-Mer
The Chaos cliffs between Gold Beach and Port-en-Bessin
Les falaises du Chaos entre Gold Beach et Port-en-Bessin

"The most dreadful thing was to leave men in the water. During the assault we couldn't go back for them. Awful, but we had to keep going. That was the worst thing. It will haunt me forever."

« Le plus terrible fut de laisser les hommes dans l'eau. Pendant l'assaut nous ne pouvions pas revenir pour eux. C'était affreux, mais nous devions continuer. Ce fut la pire des choses. Elle me hantera pour toujours. »

836,000 men landed on this beach starting on June the 6th 1944.

836 000 hommes débarquèrent sur cette plage à partir du 6 juin 1944.

Utah Beach

« *On rentrait chez nous et on était prêt à mourir pour notre pays.* »
Un commando français.

"We were returning home and we were ready to die for our country."

Sword Beach

...ouvriers spécialistes des industries d'armement qui se trouvent en territoire britannique ou qui viendraient à s'y trouver, à se mettre en rapport avec moi. Quoi qu'il arrive, la flamme de la résistance française ne doit pas s'éteindre et ne s'éteindra p...

Demain, comme aujourd'hui, je parlerai à la Radio de Londres. » Juin 1940.

"Lorsque notre bateau ac
je me suis retrouvé en en

"As our boat touched sand
I became a visitor to hell."

Harry Parley
Soldat de 2ᵉ classe, 116ᵉ régiment d'inf
Private, 116th Infantry Regiment

« *Tout l'enfer se répandit avec d'innombrables navires de guerre bombardant la côte avec tout ce qu'ils possédaient. Les canons à bord de ces navires devaient être totalement rouges de feu. En plus de tout cela, des centaines de péniches d'assaut étaient aussi engagées, avec toutes leurs forces d'armement.*

La rampe descendue et dans l'eau jusqu'à la taille, la plage se trouvait devant nous et les obstacles d'acier et de bois tordus lui donnaient un aspect médiéval. Au-delà, les Allemands, quelque part dans la fumée. Autour de nous, les cris des hommes, la déchirure des mitrailleuses et l'odeur acre de la mort.

À moins d'en avoir été le témoin, aucune tentative pour visualiser la scène n'est imaginable. »

Omaha Beach

« C'est une chose terrible et monstrueuse que d'être obligé de tirer sur notre propre patrie mais je vous demande de le faire aujourd'hui. »

Amiral Robert Jaujard* s'adressant aux Français libres le Jour J.

"It's a terrible and monstrous thing to have to fire on your homeland, but I ask you to do it this day."

Admiral Robert Jaujard* addressing the free French on D-Day.

It was not until 2005 that First Nations, Inuit and Métis Canadian soldiers received official recognition in Normandy for their sacrifices on D-Day and the battles that followed.

Ce ne fut qu'en 2005 que les soldats des Premières Nations, Inuits et Métis canadiens, reçurent en Normandie, la reconnaissance pour leurs sacrifices rendus le Jour J et lors des batailles qui suivirent.

Pegasus Bridge

"I don't know if I had more trouble fighting the Jerries or teaching this man some manners."

A British soldier from Scotland talking about his Cockney brother in arms.

« Je ne sais pas si j'ai eu plus de mal à combattre les Frisés ou à apprendre à cet homme quelques bonnes manières. »

Un soldat britannique d'Écosse parlant de son frère d'armes londonien.

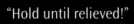
"Hold until relieved!"

« Tenez bon jusqu'à la relève ! »

Major John Howard*

Arromanches
The Mulberry Harbour
e port artificiel

"They must float up and down with the tide. The anchor problem must be mastered.
Let me have the best solution worked out. Don't argue the matter. The difficulties will argue for themselves."

*« Ils doivent flotter en fonction de la marée. Le problème de l'ancrage doit être maîtrisé. Trouvez-moi la meilleure solution.
Ne discutez pas l'affaire. Les difficultés se débattront d'elles-mêmes. »*

Winston Churchill*

James Earl Rudder, commander of the 2nd Rangers, returning with his son in 1954.
He asked "Can you tell me how we did this?"

James Earl Rudder, commandant des 2e Rangers, à son retour en 1954, accompagné de son fils.
Il demanda « Peux-tu me dire comment on a fait ça ? »

Climbing up was just the start.

Grimper n'était que le début.

Pointe du Hoc

"You see these people in their pleasure boats, people swimming, nice weather,
a lovely beach… compared to the morning I came here… it was just unbelievable.
It is almost unreal to look at it today."

General Eisenhower*, returning to Omaha Beach in 1964.

*« Vous voyez ces gens sur leurs bateaux de plaisance, ces gens en train de nager,
il fait beau, une jolie plage… Comparé au matin où je suis venu ici…
C'était juste incroyable. C'est presque irréel de voir cela aujourd'hui. »*

Général Eisenhower*, de retour à Omaha Beach en 1964.

We were so young.

Nous étions si jeunes.

They shall grow not old, as we that are left grow old. Age shall not weary them, nor the years condemn. At the going down of the sun and in the morning, we will remember them.

Ils ne vieilliront pas comme on nous a laissés vieillir.
Ils ne connaîtront pas l'usure de l'âge ni le poids des années.
Au coucher du soleil et au matin, nous nous souviendrons d'eux.

Laurence Binyon[*]

We never really knew who they were.

Nous n'avons jamais vraiment su qui ils étaient.

La Cambe
German War Cemetery
Cimetière militaire allemand

Q : When no longer prisoner of war,
why did you not return to Germany?
A : The Russians were there.

Q : Alors que vous n'étiez plus prisonnier
de guerre, pourquoi avez-vous décidé de
ne pas rentrer en Allemagne ?
R : Les Russes étaient là.

"Their road will be long and hard."
President Roosevelt*, June 6th 1944

« *Leur chemin sera long et difficile.* »
Président Roosevelt*, 6 juin 1944.

Bayeux

Commonwealth Cemetery
Cimetière du Commonwealth

« Mon Die
"Oh my G
Anne d'Orna

"Into the mosaic of victory our most precious piece was laid."

These words are engraved at the bottom of Edward W. Durn's tombstone.[*]

« Dans la mosaïque de la victoire, notre pièce la plus précieuse fut posée. »

Ces mots sont gravés en bas de la pierre tombale d'Edward W. Durn[*].

CH/X.115251 MARINE
E.W. DURN
ROYAL MARINES
6TH JUNE 1944 AGE 17

He never really talked about it.

Il n'en a jamais vraiment parlé.

Courseulles-sur-Mer
Juno Beach Centre
Centre Juno Beach

Bény-sur-Mer

Canadian Cemetery
Cimetière canadien

Do not ask of the presence of Canadians in Normandy; ask of the presence of Normandy in Canadians.[*]

Ne parlez pas de la présence des Canadiens en Normandie ; parlez plutôt de la présence de la Normandie chez les Canadiens.[*]

60899 GUNNER
W. VARCOE

Grainville-Langannerie

Polish War Cemetery

Cimetiè␣␣militaire polonais

The Polish made an important contribution to the Allied coalition and campaigns throughout World War II, thereby fighting for the regained self-determination of many European nations. It would not be until 1991 that the last Soviet troops left Poland, and free elections were held.

La Pologne, en luttant pour la liberté retrouvée de nombreuses nations européennes, apporta une importante contribution aux campagnes et coalition des alliés tout au long de la seconde guerre mondiale. Mais il fallut attendre 1991 pour que les dernières troupes soviétiques quittent la Pologne et que des élections libres aient lieu.

'Wir haben uns dieser Herausforderung im Angesicht unseres Herrn und unseres Gewissens gestellt, und es muss getan werden, weil dieser Mann, Hitler, das Böse schlechthin ist.'

"We took this challenge before our Lord and our conscience, and it must be done, because this man, Hitler, is the ultimate evil."

« Nous avons pris cette décision devant notre Seigneur et en notre âme et conscience, et ceci doit être fait, car cet homme, Hitler, est le mal par excellence. »

Claus von Stauffenberg[*]

"In War: Resolution.
In Defeat: Defiance.
In Victory: Magnanimity.
In Peace: Good Will."

« En guerre : Résolution.
En défaite : Défi.
En victoire : Magnanimité.
En paix : Bienveillance. »

Winston Churchill*

Ranville
Commonwealth War Cemetery / *Cimetière de guerre du Commonwealth*

Unknown Soldier. *Soldat inconnu*

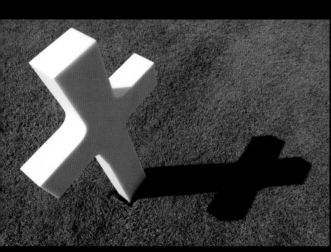

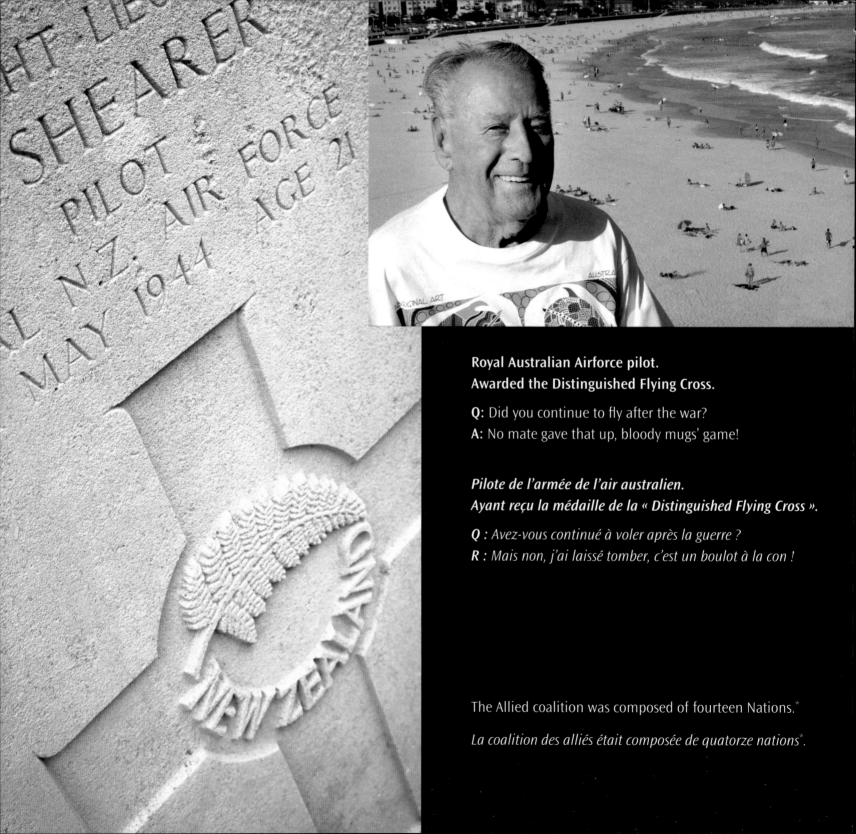

Royal Australian Airforce pilot.
Awarded the Distinguished Flying Cross.

Q: Did you continue to fly after the war?
A: No mate gave that up, bloody mugs' game!

Pilote de l'armée de l'air australien.
Ayant reçu la médaille de la « Distinguished Flying Cross ».

Q : Avez-vous continué à voler après la guerre ?
R : Mais non, j'ai laissé tomber, c'est un boulot à la con !

The Allied coalition was composed of fourteen Nations.[*]

La coalition des alliés était composée de quatorze nations[*].

A LA MEMOIRE DE LA BRIGADE
PIRON (1ère BRIGADE BELGE)
ET DE SES HOMMES QUI ONT
COMBATTU POUR LEURS
CONVICTIONS
NE LES OUBLIONS PAS.
17 AOUT 1944.
NEUTRALISATION DU BUNKER.

TIL MINDE OM 800 DANSKE SØFOLKS DELTAGELSE
I INVASIONEN JUNI 1944

AUX 800 MARINS DANOIS AYANT PARTICIPÉ
AU DÉBARQUEMENT ALLIÉ DE JUIN 1944

IN MEMORY OF THE 800 DANISH SEAMEN WHO
PARTICIPATED IN THE NORMANDY LANDINGS JUNE 1944

Monument réalisé par Svend L

"Say, are you British?"
"Yes, are you Americans?"
"No we're not Americans", came the voice.
"We're Texans, do you need any help?"

« Dites, êtes-vous britanniques ?
– Oui, êtes-vous américains ?
– Non, nous ne sommes pas américains, répondit la voix.
Nous sommes texans, avez-vous besoin d'aide ? »

On the 8th of June 1944, N° 47 Royal Marine Commando, having fought through since D-Day from Gold Beach to take Port-en-Bessin, united with the Americans fighting up from Omaha Beach. Port-en-Bessin became the first fuel supply port for the Overlord operation before the capture of Cherbourg.

Le 8 juin 1944, les commandos de la Marine royale ayant combattu depuis Gold Beach pour prendre Port-en-Bessin s'unirent aux soldats américains qui se battaient depuis Omaha Beach. Port-en-Bessin devint le premier port d'alimentation en carburant pour l'opération Overlord, avant la prise de Cherbourg.

Port-en-Bessin

"With tanks, we didn't talk
miles per gallon,
but gallons per mile!"

*« Avec les chars, nous ne parlions
pas de kilomètres par litre,
mais de litres par kilomètre ! »*

"I didn't much like being in the petrol motor tanks;
when they got hit, they just burst into flames!"

*« Je n'aimais pas beaucoup être dans les tanks à moteur à essence ;
lorsqu'ils étaient touchés, ils explosaient en flammes ! »*

"Just because he was at war, didn't mean
he could not paint. He carried a bucket hanging
off the side of his tank for his paintbrushes."

Rex John Whistler*, **artist and soldier, killed in action 1944.**

*« Ce n'était pas parce qu'il était à la guerre, qu'il ne
pouvait pas peindre. Il avait accroché un seau qu'il
portait sur le côté de son char pour ses pinceaux. »*

Rex John Whistler, *artiste et soldat, tué au combat en 1944.*

'Die Bedrohung aus dem Osten bleibt, über eine noch größere Gefahr droht im Westen: der anglo-amerikanischen Landung. Wenn der Feind hier zutreffendes Durchdringung unsere Abwehr, folgen der gigantischen Proportionen innerhalb kurzer Zeit folgen wird.'

Adolf Hitler, von Richtlinie N° 51, 3. November 1943.

"The threat from the east remains, but an even greater danger looms in the west: the Anglo-American landing. If the enemy here succeeds in penetrating our defenses, consequences of staggering proportions will follow within a short time."

Adolf Hitler, from Directive N°51, 3rd November 1943.

« La menace venant de l'Est demeure, mais un danger encore plus grand se profile à l'Ouest : le débarquement des Anglo-Américains. Si l'ennemi réussit à pénétrer ici nos défenses, des conséquences aux proportions stupéfiantes suivront rapidement. »

Adolf Hitler, extrait de la directive nº 51 du 3 novembre 1943.

Longues-sur-Mer
German Gun Battery
Batterie allemande

The weight of war.

Le poids de la guerre.

"It was night and I thought I was landing on a small path. To swim out I had to abandon my pack, my rifle and my ammo, all I had was my knife."

A British paratrooper.

« Il faisait nuit et j'ai pensé que j'allais atterrir sur un petit chemin. Pour sortir de l'eau, j'ai dû abandonner mon sac, mon fusil et mes balles, il ne me restait que mon couteau. »

Un parachutiste britannique.

"This was not a peaceful place."

« Ce n'était pas un endroit paisible. »

"Glancing at my comrades around and behind me to draw courage and strength from their presence, I saw that the field was being littered with the dead, our dead. A trooper in front of and to the right of me was hit in the chest by an 88 shell. His body disappeared from the waist up, his legs and hips with belt, canteen and entrenching tool still taking three more steps, then falling."

« Jetant un regard à mes camarades autour et derrière moi pour tirer force et courage de leur présence, je vis que le champ était jonché de morts, nos morts. Un soldat plus en avant et à ma droite fut touché à la poitrine par un obus de 88. La partie supérieure de son corps avait disparu, ses jambes et ses hanches portant ceinture, gourde et pelle firent trois pas de plus, puis tombèrent. »

Don Burgett[*], 101st Airborne.

La Fière — American Parachutist Monument / Monument des parachutistes américains

Hill 112
Few people visit this strategic high ground south west of Caen
where enormous casualities were incurred.

Cote 112
Peu de gens visitent ce promontoire stratégique, situé au sud-ouest de Caen,
où d'énormes pertes furent infligées.

"Here you fell and were never found but you will never be forgotten by those you left behind."
These words can be found amongst the trees.

« Ici tu es tombé et tu n'as jamais été retrouvé, mais tu ne seras jamais oublié par ceux que tu as laissés derrière. »
On peut trouver ces mots parmi les arbres.

Bretteville-sur-Laize
Canadian Cemetery
Cimetière canadien

On August 1944, as the Polish and the Germans fought hand to hand in the fields and hills surrounding Montormel, so Warsaw was being strangled and burnt.

En août 1944, alors que les Polonais et les Allemands luttaient corps à corps dans les collines et les champs entourant Montormel, Varsovie se trouvait étranglée et brûlée.

Mont-Ormel
Coudehard-Montormel Memorial
Mémorial de Coudehard-Montormel

"There were so many injured and dying young men, we couldn't treat them all. There was so much blood."

A British medic.

« Il y avait tant de jeunes hommes blessés et mourants, nous ne pouvions pas tous les soigner. Il y avait tellement de sang. »

Un médecin britannique.

"I'm well and strong and young – young enough to go to the front. If I can't be a soldier, I'll help soldiers."

Clara Barton, Nurse and founder of the American Red Cross.

« Je suis jeune et en pleine santé – assez jeune pour aller au front. Si je ne peux pas être soldat, alors je vais aider les soldats. »

Clara Barton, infirmière et fondatrice de la Croix-Rouge américaine.

Within these walls we were concerned with the dead and the dying not the winning and the losing… There was not going to be anybody in there playing war games."*

Robert Wright, medic, 101st Airborne.

« À l'intérieur de ces murs, nous étions préoccupés par les morts et les mourants, pas par les gagnants ou les perdants… Il n'y avait personne là-dedans pour jouer à des jeux de guerre.* »

Robert Wright, secouriste de combat, 101ᵉ Airborne.

Angoville-au-Plain

majority of the people of Normandy are anti-German and anti-Vichy, but that does not necessarily mean that the
Allied once the liberation comes. At the time of the invasion, a small group of brave resistants and anti-Nazis can be
to assist us. The rest of the population will wait until it is quite clear that the operation has succeeded before joini
st be realized that the attitude of the Normans will depend on the losses that they will have sustained during the pre

« La majorité du peuple de Normandie est anti-allemand et anti-Vichy, mais cela ne signifie pas nécessairement qu'il sera pro-allié lorsque la libération arrivera. Au moment de l'invasion, nous pourrons compter sur un petit groupe de résistants courageux et

Sometimes memorials are themselves
scarred by subsequent wars, thus becoming
new memorials carrying new meanings.

*Parfois les monuments sont abîmés par des
guerres ultérieures et deviennent ainsi de
nouveaux monuments commémoratifs
porteurs de significations nouvelles.*

"I met my wife when we entered the camp. She was so frail, I picked her up in my arms and we have never been separated since."

« J'ai rencontré ma femme quand nous sommes entrés dans le camp. Elle était si frêle, je l'ai prise dans mes bras et nous n'avons jamais plus été séparés depuis. »

Trévières
WW1 memorial
Monument aux morts 1914-1918

Ce monument est dédié aux vingt-huit résistants français exécutés
par les nazis à Saint-Pierre-du-Jonquet en juillet 1944.

This memorial is dedicated to twenty-eight French resistants
executed by the Nazis at Saint-Pierre-du-Jonquet in July 1944.

« Je n'ai pas fait beaucoup pour la résistance. J'étais trop jeune.
Je n'ai fait que porter leurs messages. »

"I didn't do much for the resistance, I was too young.
All I did was carry their messages."

Here were tortured and shot on June 18th 1944 two young heroes of the resistance.

Un homme dont la maison fut écrasée près de l'église Saint-Pierre à Caen ne fut retrouvé que beaucoup plus tard, lorsqu'on déblaya les ruines. Il n'était pas mort sur le coup et avait laissé ce message bouleversant : « Je sens que je vais mourir. C'est effroyable de penser que je ne verrai jamais la Libération que j'ai attendue depuis si longtemps mais par ma mort d'autres seront libérés. Vive la France. Vive les Alliés. »

A man, crushed under his destroyed house not far from Saint Peter's church in Caen, was not found until much later during the clearing of the ruins. He had not immediately died, for he had left this very moving written message: "I am going to die. It is unbearable to think that I will not see the Liberation I had waited so long for, but by my death others will be liberated. Long live France, Long live the Allies."

Caen
Saint-Étienne-le-Vieux church
Église Saint-Étienne-le-Vieux

Approximately 20,000 civilian victims died as a result of being caught in the cauldron of the battle for Normandy. Numerous towns and villages were reduced to rubble, resulting in partial or total demolition before reconstruction.

Saint-Lô was, for Samuel Beckett*, in 1946, the "Capital of the ruins".

Environ 20 000 victimes civiles sont mortes, prises dans le chaudron de la bataille de Normandie. De nombreuses villes et villages ont été réduits à l'état de décombre, ce qui nécessita une démolition partielle ou totale avant la reconstruction.

Saint-Lô est, pour Samuel Beckett*, en 1946, la « capitale des ruines ».

When you visit the war cemeteries, look at the dates. D-Day is iconic but the losses in these beautiful fields were much higher. Approximately 110,000 combatants are laid to rest in Normandy.

Lorsque vous visitez les cimetières de guerre, prenez garde aux dates. Le Jour J est emblématique mais les pertes dans ces champs paisibles ont été beaucoup plus élevées. 110 000 combattants environ reposent en Normandie.

As the battle for Normandy came to encirclement in the Falaise pocket, so fighting to the Seine and beyond would confirm the extraordinary achievement of D-Day. But months of fighting still lay ahead.

Lorsque la bataille de Normandie fut au stade de l'encerclement de la poche de Falaise, les combats vers la Seine et au-delà confirmèrent alors l'extraordinaire réussite du Jour J. Mais des mois de combats étaient encore à venir.

"And so let us embark on what lies ahead full of joy and optimism. We have won the German war. Let us now win the peace. Good luck to you all, wherever you may be."

Field Marshal Montgomery[*], 8 May 1945.

« Donc, embarquons-nous vers l'avenir, plein de joie et d'optimisme. Nous avons gagné la guerre des Allemands. Maintenant, à nous de gagner la paix. Bonne chance à vous tous, où que vous soyez. »

Maréchal Montgomery[*], 8 mai 1945.

Gold Beach, Asnelles

THE AUTHORS / *LES AUTEURS*

Gregory WAIT, photographer, was born in Sydney, Australia in 1956. His carrier started in Bangladesh in 1976 where he worked for two years and then travelled and worked between Australia, Papua New Guinea, France, Africa, Nepal and Bangladesh. In 1991 he settled with his French wife and two daughters in Normandy. He works as a photojournalist mainly in the department of the Calvados but regularly travels to Bangladesh covering diverse subjects. His stories have been published in different newspapers, magazines and books around the world.

★ ★ ★

Nigel STEWART was born in Lancashire, England in 1965. He moved to Normandy in 1992 with his Franco-British family shortly after completing an M.A. (Distinction) in fine arts. Since 1999 he has worked as an accredited freelance Normandy guide, giving tours and lectures on the D-Day landings of 1944 and the Normandy Campaign that ensued thereafter. He has toured with and lectured to thousands of people, notably with veterans and many families of veterans. In 2004 he recorded the voice-over narrative for a 60th D-Day anniversary DVD produced for the Caen Mémorial museum. In 2009 he recorded the narrative to the film at the Pegasus Memorial of the British 6th Airborne Division. Nigel has helped with two memorials in Normandy; the 4th Lincolnshire Battalion's liberation of Conteville and the other marking the B26 'Hitchhiker' crash near Fierville-Bray. He has made contribution through artwork to fundraising for the Moulin des Rondelles Memorial Association in Cerisy-la-Forêt. During 2007, Nigel worked for the American Battle Monuments Commission (ABMC). He has contributed to the WWII books: "Angels of Mercy" by Paul Woodadge and 'Dog Company' by Patrick K O'Donnel. Nigel also actively pursues his career as an artist.

Gregory WAIT est un photographe indépendant né à Sydney en Australie, en 1956. Il a débuté sa carrière au Bangladesh en 1976 où il a travaillé pendant deux ans. Il a ensuite alterné voyages et travail en Australie, Papouasie Nouvelle-Guinée, France, Afrique, Népal et Bangladesh. En 1991, il s'installe en Normandie avec son épouse française et leurs deux filles. Il travaille principalement comme photojournaliste dans le département du Calvados mais voyage régulièrement au Bangladesh pour y couvrir divers sujets. Ses récits ont été publiés dans différents journaux, magazines et livres à travers le monde.

★ ★ ★

Nigel STEWART est né dans le Lancashire, Angleterre, en 1965. Il y a fait un master en beaux-arts qu'il a obtenu avec mention avant de venir s'installer en Normandie, où il habite depuis 1992 avec sa famille franco-britannique. Depuis 1999, Nigel travaille comme guide-conférencier agréé ; il raconte l'histoire de la Normandie et plus particulièrement le Jour J et la bataille de Normandie. En 2004, sa voix a été utilisée pour la version anglaise du DVD « Jour J » du Mémorial de Caen et, en 2009 pour le film du musée Mémorial Pegasus à Ranville. Nigel a participé à la réalisation de deux monuments en Normandie, celui de Conteville pour le 4ᵉ bataillon Lincolnshire, et le B26 « Hitchhiker » à Fierville-Bray. Il a également contribué à l'association du souvenir de Moulin des Rondelles à Cerisy-la-Forêt. En 2007, il a travaillé à l'American Battle Monuments Commission (ABMC), et a participé à la réalisation de deux livres : Angels of Mercy de Paul Woodadge et Dog Company de Patrick K O'Donnel. Nigel poursuit aujourd'hui activement sa vie d'artiste-peintre.

Annexes

Rear Admiral Robert Jaujard - p. 35
Commander of the Free French 4th Cruiser Division, Bombardment group Task Force 124 / *Contre-amiral, commandant de la Force navale française libre, 4ᵉ division de croiseurs, bombardement groupe 124 Task Force*

Major John Howard - p. 39
He was the British Army officer who led the glider-borne assault on Pegasus Bridge / *Major John Howard était l'officier de l'armée britannique qui a dirigé l'assaut des planeurs sur Pegasus Bridge*

Winston Churchill - p. 41, 59
British Prime Minister 1940-1945 and 1951-1955 / *Premier Ministre du Royaume-Uni 1940-1945 et 1951-1955*

Général Eisenhower - p. 44
Five-star general of the United States Army and Supreme Allied Commander SHAEF/ *Chef d'état-major général des forces armées des États-Unis et le commandant suprême des forces alliées*

Laurence Binyon - p. 47
English poet, dramatist, scholar, 1869-1943 / *Poète dramatique anglais et érudit, 1869-1943*

Franklin Delano Roosevelt - p. 50
President of the United States of America between 1933 and 1945 / *Président des États-Unis d'Amérique entre 1933 et 1945*

Anne d'Ornano - p. 52
President of the Conseil general du Calvados between 1991 and 2011 / *Présidente du conseil général du Calvados entre 1991 et 2011*

Edward W. Durn - p. 53
Youngest soldier buried at the Bayeux Commonwealth Cemetery (Grave Reference: XIV. B. 15) / *Le plus jeune soldat enterré dans le cimetière du Commonwealth à Bayeux (Références sur la sépulture : XIV. B. 15)*

Colonel Claus von Stauffenberg - p. 58
He was the man who brought the explosives to the conference in July 1944 of the failed plot to kill Adolf Hitler / *Colonel qui apporta les explosifs à la conférence du 20 juillet 1944 dans le complot visant à tuer Adolf Hitler*

The 14 Nations / Les 14 Nations - p. 62
United States of America, Great Brittain, Canada, Poland, France, Australia, New Zealand, Norway, Belgium, Netherlands, Denmark, South Africa, Greece, Czechoslovakia / *États-Unis d'Amérique, Grande-Bretagne, Canada, Pologne, France, Australie, Nouvelle-Zélande, Norvège, Belgique, Pays-Bas, Danemark, Afrique du Sud, Grèce, Tchécoslovaquie*

Lieutenant Rex John Whistler - p. 68
He was killed 18/07/1944 at 39 years old Banneville-la-Campagne War Cemetery (Grave Reference III. F. 22.) / *Tué le 18 juillet 1944 à l'âge de 39 ans, il est inhumé au cimetière militaire de Banneville-la-Campagne (Références sur la sépulture : III. F. 22)*

Samuel Beckett - p. 101
He was an Irish novelist and playwright. He joined the French Resistance in 1940. Beckett was awarded the Croix de guerre and the Médaille de la Résistance by the French government. Nobel Prize in Literature 1969 / *Dramaturge et romancier irlandais. En 1940, il rejoint la Résistance française. Beckett a reçu la Croix de guerre et la Médaille de la Résistance par le gouvernement français. Il reçoit le Prix Nobel de la littérature en 1969*

Field Marshal Montgomery (Monty) - p. 106
Allied Ground Forces Commander for the Normandy Campaign / *Commandant des forces alliées terrestres en Normandie.*

John Lennon - p. 107
English songwriter / *Auteur de chansons anglais*

Notes

Page 55 : Inspired from a paper by William McAndrew, Ottawa, 1994 / *Inspiré d'un article de William McAndrew, Ottawa, 1994.*

Page 41, 59 : Quotes by Sir Winston Churchill reproduced with kind permission from Curtis Brown (London) on behalf of the Sir Winston Churchill estate / *Citation de Sir Winston Churchill reproduite avec l'aimable autorisation de Curtis Brown (Londres), au nom de la succession de Sir Winston Churchill.*

Page 64 : Quote from "From Omaha to the Scheldt: The Story of 47 Royal Marine Commando" by John Forfar, published by the 47th Royal Marine Commando Association / *Citation extraite de « From Omaha to the Scheldt: The Story of 47 Royal Marine Commando » de John Forfar, publié par l'association 47ᵉ Royal Marine Commando.*

Page 79 : Quote from "Currahee!: A Screaming Eagle At Normandy" by Donald R. Burgett / *Citation extraite de « Currahee!: A Screaming Eagle At Normandy » de Donald R. Burgett.*

Page 89 : From an article by Renita Foster "A D Day Hero's Return", Soldiers Magazine, November 1999 / *Tiré d'un article de Renita Foster « Retour d'un héros du Jour J », Soldats Magazine, novembre 1999.*

OREP
EDITIONS

Zone tertiaire de Nonant - 14400 BAYEUX
Tél. : 02 31 51 81 31 - Fax : 02 31 51 81 32
Email : info@orepeditions.com - Site : www.orepeditions.com

Éditeur : Grégory PIQUE
Coordination éditoriale : Corine DESPREZ
Conception graphique : Gregory WAIT - **Réalisation :** Laurent SAND
ISBN : 978-2-8151-0184-4 - **Copyright OREP 2014**
Dépôt légal : 1er trimestre 2014